U0065466

給蒂蒂，一個不懂得找人分擔悲傷的孩子 —— 康娜莉雅·史貝蔓

給凱蒂，獻上我的愛 —— 凱西·帕金森

我好難過

文 康娜莉雅·史貝蔓　圖 凱西·帕金森　譯 黃維明

親子天下

有時候，我好難過。

別人不讓我玩的時候，我好難過。

我很想和別人說話，

卻沒有人要聽，我好難過。

別人難過的時候，我也好難過。

想要和某個人在一起，

他ㄊㄚ卻ㄑㄩㄝˋ不ㄅㄨˋ在ㄗㄞˋ，我ㄨㄛˇ好ㄏㄠˇ難ㄋㄢˊ過ㄍㄨㄛˋ。

發ㄈㄚ生ㄕㄥ了˙ㄌㄜ不ㄅㄨˋ好ㄏㄠˇ的˙ㄉㄜ事ㄕˋ，我ㄨㄛˇ好ㄏㄠˇ難ㄋㄢˊ過ㄍㄨㄛˋ。

不能擁有自己很想要的東西，

或是失去特別的東西時，我好難過。

有人對我發脾氣的時候，我好難過。

受傷的時候， 我也好難過。

難過是灰灰的、 累累的感覺。
難過的時候， 什麼都不好玩。

我不喜歡難過！ 我要難過的感覺消失。

可是，每個人都有難過的時候。

我可以告訴別人我很難過。
他們會坐在我身旁說：「沒關係。」
難過的時候，只要有人能陪著我，
就會覺得好多了。

我可以表現出難過的樣子，沒有關係。

就算哭出來，也沒有關係。

過一會兒，我就不哭了。

但我還是想談談那些讓我難過的事。

沒多久，我就覺得好多了。

我想去公園盪鞦韆。

我想做點東西，

和朋友玩。

難過的感覺不見了，

我又快樂起來了。

難過的時候，

我知道自己不會一直難過下去！

Sometimes I feel sad.
I feel sad when someone won’t let me play,

or when I really want to tell about
something and nobody listens.

When someone else is sad,
I feel sad, too.

I feel sad when I want to be with somebody,

but he’s not there.

If something bad happens, I feel sad.

When I can’t have something I really,
really want, or when I lose something special,
I feel sad.

When someone is cross with me,
I feel sad,

and I feel sad when I get hurt.

Sad is a cloudy, tired feeling.
Nothing seems fun when I feel sad.

I don't like feeling sad!
I want sadness to go away.

But everyone feels sad sometimes.
When I feel sad, there are ways to feel better.
I can tell someone I'm sad.

"That's OK," they say, and sit close to me.
It feels good to be close to someone
when I'm sad.

It's all right to show I'm sad.
It's all right to cry.

After a while, I'm done crying.
But I might still want to talk about
what made me sad.

Pretty soon I start to feel better.
I want to go to the park and
swing on the swings.

I want to make something

and play with my friends.

The sad feeling goes away,
and I feel good again.

When I feel sad, I know I won't stay sad!

作者介紹

康娜莉雅·史貝蔓（Cornelia Maude Spelman）

康娜莉雅·史貝蔓童書作品豐富，主題環繞著兒童的情緒和社會發展，透過故事，把情緒發展主題和孩子們實際的生活經驗相結合。老師和家長們對她的作品給予這樣的評價：「非常細膩、溫和、撫慰人心，而且充滿同情和同理心。」 康娜莉雅是家庭與兒童專業諮商師，曾任教於研究所，也針對兒童與家庭的心理健康議題做過數百場的演說。她的子女皆已成年，她則與丈夫住在伊利諾州。她不但從事圖畫書創作，還擔任反槍械婦女團體的義工。

幼兒情緒教育，從專業精采的繪本入門！

楊俐容 台灣芯福里情緒教育推廣協會理事長

「孩子不會表達情緒、動不動就大哭大鬧」一直都是幼兒家長和老師最頭痛的問題。事實上，孩子也不喜歡自己哭哭鬧鬧，然而，情緒感受是與生俱來、不需學習的反應，但負向情緒來襲時，要好好表達並且適當調節，卻得透過周遭大人溫暖的理解、有效的安撫以及有計畫的教導，才能慢慢發展出來。

從呱呱墮地那一刻起，孩子的生活就是由一連串的事件，以及這些事件所引發的情緒感受所組成。剛出生的寶寶情緒只能粗略的分為「愉快的」和「不愉快的」兩大類，隨著生活經驗的豐富，情緒也開始分化為更多類別。到了一歲半，寶寶已擁有相當豐富的情緒感受了，而學前階段的幼兒，隨著行動範圍與生活圈的擴大，情緒也越來越多變與複雜。譬如說，心愛的玩具壞了、小朋友不跟他玩，孩子自然會因失落而感到難過；又如，積木城堡一直蓋不好、玩得正開心遊戲時間卻要結束了，孩子又會因為目標受阻而覺得生氣。此外，害怕、擔心、忌妒，以及開心、舒服、得意……等愉快或不愉快的感受，也都是幼兒生活中常見的情緒。

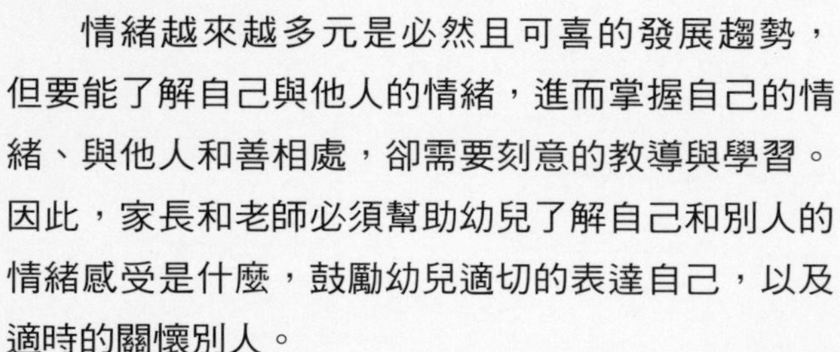

情緒越來越多元是必然且可喜的發展趨勢，但要能了解自己與他人的情緒，進而掌握自己的情緒、與他人和善相處，卻需要刻意的教導與學習。因此，家長和老師必須幫助幼兒了解自己和別人的情緒感受是什麼，鼓勵幼兒適切的表達自己，以及適時的關懷別人。

幼兒階段是開始系統化學習情緒的最佳時期，孩子需要學會與生活經驗、情緒感受互相呼應的詞彙，讓語言跟上情緒的腳步，才能逐漸擁有覺察、辨識與為情緒命名的能力，也才能善用正向情緒、轉化負向情緒，將生活的多采多姿化為成長的養分。

不過，情緒無影無形、難以捉摸與界定，必須藉助具體的生活事件與生動的插畫圖像，以幼兒熟悉的故事模式來幫助他們理解當下的情緒感受與事件的來龍去脈。因此，具有理論基礎並能完整呈現情緒元素的精采繪本，就成為情緒教育的最佳媒介，這也是我要大力推薦「我的感覺」這套幼兒情緒教育入門書的原因。

作者選擇了幼兒生活中最常見的負向情緒：難過、害怕、生氣、嫉妒、擔心做為主題，並以幼兒能夠理解的淺語，說出幼兒不易覺察的情緒元素，包括身體線索、心理感受，以及引發這些情緒的生活事件等。讓幼兒在聆聽書中主角故事的同時產生情緒理解，知道原來別人也會這樣，有這些情緒是很正常的。而反覆出現的情緒詞彙，也讓幼兒逐漸熟悉並能運用這些詞彙來表達自己的情緒；一旦幼兒能夠使用語言來表達情緒，他們就擁有了一項效能強大的工具，可以和別人溝通彼此的情緒。

當幼兒能夠自在接納情緒感受並學會適切表達之後，作者又帶著幼兒與書中主角一起發現心裡有這些感受時，可以用什麼方法來調節情緒，讓自己覺得好受一點，甚至進一步探索解決問題的可能性。從理解情緒、管理情緒到解決問題，完整呈現情緒教育的三大步驟。

除了上述幾個基本的負向情緒，作者另外挑了三個幼兒生活中常見的人際情緒課題，包括處理分離焦慮的《我想念你》、提升自信自尊的《喜歡我自己》，以及促進同理關懷的《我會關心別人》。的確，情緒不只發生在自我之內，也發生在人我之間；自我EQ是基礎，人際EQ則更進一步的促成孩子情緒成熟，讓孩子的人際關係更上層樓，也因此更能享受和其他小朋友一起遊戲學習的校園生活。所有這一切，都為幼兒未來進入小學的適應，奠定了堅實的情緒基礎。

情緒成熟需要時間的醞釀，但沒有耕耘就不會有收穫；「我的感覺」為家長和老師準備了豐富的素材，但要成為孩子的情緒滋養，還需要大人的參與和陪伴。關切幼兒情緒教育的大人，可以善用書中文字的力量、具象的插圖，以及隨書提供的情緒遊戲卡，和孩子一起玩情緒，讓您的幼兒情緒教育，從這套專業精采的繪本入門！

情緒的學習是一生的功課，趁早開始吧！

周育如 清華大學幼教系副教授

在幼兒發展的領域中，情緒發展是個很特別的領域，它雖然也有生理及遺傳的基礎，但較之身體、語言或認知發展，情緒能力隨著年齡與成熟而進展的情況「格外不明顯」，反而受環境與教養的影響非常大。

年幼的孩子如果未經教導，不如意時就發脾氣或揮拳打人是很常見的舉動，但這種情況長大了就會改善嗎？那可不一定，我們隨處可見許多人終其一生都沒有學會好好管理自己的情緒，年紀再大、學歷再高，無法好好處理自己情緒的一樣大有人在！

在台灣的教育中，多少年來，我們對孩子成功的重視遠遠超過對孩子幸福的關切，因此我們很少花時間教孩子怎麼跟自己相處，怎麼跟別人相處。長期下來，不只父母面對孩子的情緒問題時不知如何處理，甚至父母本身也因為沒受過情緒教育，對自己情緒的理解和處理能力也非常有限。結果在親職教育上，我們不只有處理不完的亂發脾氣的孩子，還要安撫及重新教導與孩子相互糾結、挫折又生氣的父母。

在這種情況下，「我的感覺」系列重新改版上市是格外有意義的一件事，這套書已累銷超過50萬冊，見證了父母帶著孩子學習情緒的珍貴歷程。這套書有很多值得推薦之處，包括每個主題都是孩子最常經歷的情緒、內容完整涵蓋了情緒辨識、情緒表達和情緒調節等主要成分，以及文學性、文字的溫暖度與畫面處理兼具等，原本就是很適合父母與孩子分享及討論情緒的上乘之作；除了優質的文本以外，還加上了應用的教案和情緒遊戲卡，顯然有意再多幫父母老師一點忙。

談情緒從共讀開始

在閱讀這套書時，大人剛開始可以如同一般的繪本與孩子進行共讀，先帶著孩子了解內容，看看故事人物是如何辨認、理解與調節自己的情緒；然後，大人可以仿故事結構所提供的情緒內涵，延伸討論孩子自己的經驗，例如共讀《我好難過》時，可以問問孩子有沒有難過的時候？在什麼情況下會難過？難過的感覺為何？以及難過時要怎麼做才會好過一點？ 接著，如果孩子對這些議題很有感觸或願意投入，還可以利用後面的教案和卡片和孩子玩一些情緒理解或敘說的遊戲，藉以增加孩子情緒語彙的質量、並提昇對情緒的敏銳度。

熟悉了這些內容和方法後，大人可以進一步混搭與應用。例如並不需要限於每本繪本的單一主題，而可以和孩子討論，在這些情緒中，他最常出現的是什麼情緒？很少經歷的又是什麼情緒？由於大人很容易把重點放在負面情緒的調節上，但除了教孩子處理負面情緒，許多時候更重要的其實是如何促進孩子正面的情緒，因此較全面的檢視是很有幫助的。此外，大人也可以從孩子平常的行為中去觀察，孩子發展得較好的是哪些方面？還需要再特別學習的是哪些方面？可以針對孩子特別需要補強的部分多一點的討論和練習。例如有的孩子還在學習用口語表達情緒，這時多一點情緒語彙的教導和情緒經驗敘說會很有幫助；有的孩子則是已經很會表達自己的情緒，但說完了卻仍很難接受安慰或自我調節，這時則可以多讓孩子想想情緒調節的方法，並透過角色扮演等方式來練習。

最後，這套書並不只適用於小小孩，而是在不同的年齡層可以有不同的應用。以情緒的調節策略為例，孩子很容易因為和父母分開而感到不安，但分離焦慮「可以被接受的表現」卻因年齡而異，當一個兩歲的孩子有分離焦慮時，我們可以接受並理解他的哭鬧和需要安撫；但如果一個六歲的孩子因為稍微和父母分開就大哭大鬧，可能會讓人難以接受。因此，孩子要學習的不只是自我情緒的覺察和表達，還需要理解社會的規則和期待，書中提供的內容只是例子，我們還可以和不同年齡的孩子討論，或許情緒感受本身都可以被接納，但當你遇到這樣的情況，什麼樣的表達對現在的你來說才是合適的？這種進一步的覺察和學習，對孩子長遠的發展來說將是更為重要的。

情緒的學習是一生的功課，越早開始，我們距離幸福人生就越近了一步。希望這套書成為大人和孩子一同探索情緒世界的美好開端！

衍伸討論

一起面對難過

羅明華 台中教育大學諮商與應用心理學系副教授

繪本閱讀的延伸討論

一、鼠寶寶想和別人玩卻沒有人理她（想說話卻沒人認真聽她說／被責罵／有不好的事情發生）的時候，她會難過。你有過和鼠寶寶類似的經驗嗎？事情是怎麼發生的？別人對你說了什麼或做了什麼？你又對別人說了什麼或做了什麼？

二、想一想上次你和鼠寶寶一樣難過到想哭是什麼時候？什麼事情讓你這麼難過？父母應該接納並傾聽孩子所分享的經驗，甚至可以和孩子談談自己小時候的類似經驗，或最近發生令人難過的事。

三、鼠寶寶難過時會覺得累累的，所有的遊戲都變得不好玩。你難過時，有什麼感覺？身體出現什麼反應？

四、有不好的事情發生時，鼠寶寶會想找個人說話。你難過時，會想找誰？想說些什麼？如果那個人不在身邊的話，可以用什麼方式讓他知道？除了這個人以外，還可以跟誰說？

五、鼠寶寶難過時，有人抱抱她會讓她感覺好一點。如果你是鼠寶寶的話，難過時你希望別人（例如爸爸、媽媽、老師……等）對你說什麼或為你做什麼？你可以為自己做些什麼事或對自己說些什麼話，讓自己感覺好一點？

六、鼠寶寶難過的時候，會找一個人說說讓她難過的事情。你還想到哪些讓自己比較不難過的方法？爸爸媽媽也可以分享自己常用的方法。

親子延伸活動

一、顏色聯想遊戲

和孩子一起聯想藍藍的天空給人什麼感覺？綠色草地或黑色山洞呢？自己最喜歡什麼顏色？喜歡的原因是？自己處在各種不同的心情時像什麼顏色？今天在學校的心情像哪一種顏色？家人或朋友現在的心情像什麼顏色？從遊戲中幫助孩子學習分辨自己和別人的情緒感受。

二、家庭情緒臉譜

準備開心、哭泣、生氣、害怕、嫉妒、恐懼等各種情緒表情的臉譜，和孩子一起選出家庭成員最常出現的表情，或是今天在學校的情緒臉譜，分享這些表情出現時發生了什麼事？誰說了什麼或做了什麼的時候，會有這些表情出現？藉著情緒臉譜，了解孩子在家裡或在學校的心情故事。

三、心情日記

幫孩子準備一本日記，讓孩子像記錄天氣一般畫出他每天的心情。今天的心情是晴天、雨天還是陰天？藍色、紅色、黃色還是黑色？高興、難過、害怕還是生氣？一週以來哪種情緒出現最多？原因是什麼？和誰有關？喜歡這樣的心情嗎？如果有根魔法棒的話，希望生活有什麼改變？如果魔法真的有效，會有什麼不同呢？心情又會變成什麼顏色？幫助孩子了解自己的情緒變化。

四、親子創作漫畫或故事

以一張全開的紙摺成四格，和孩子一起創作漫畫。第一格選擇漫畫主角，包括名字以及發生的事；第二格是故事主角遭遇此事的心情；第三格則是主角做些什麼，因此出現最後一格所希望的結局。第三格「主角做些什麼，可以讓結果變得更好？」可以發展出很多種不同的做法，幫助孩子發展多元而彈性的解決策略。

五、角色扮演遊戲

運用娃娃或布偶，實際演出故事情節。從故事劇情中了解主角的問題和解決問題的策略。成人在角色扮演的對話過程中，示範各種解決問題的作法。孩子藉由觀察、模仿和演出的過程，實際練習解決問題和社交互動的技巧，如此更能有效運用在實際生活中。

給父母和老師的叮嚀

孩子難過的時候，我們也難過。他們的悲傷讓我們急著想要幫助他們，希望他們再度快樂起來。那份悲傷也引起我們自己難過的感覺。然而，如果我們沒有認知到，承認並且分享自己不快樂的感覺沒什麼不對，可能會進而否定或輕忽孩子的感受，或試著將他們從這種感覺抽離出來。

這種反應可以理解，對孩子卻無益。這讓孩子學到不去注意、或不願意與他人分享自己的情緒。孩子必須知道與他人分享感覺可以得到安慰。有些大人自己不知道這個道理，不曾經歷被了解和被聆聽的感受，導致人際關係的問題，甚至轉而追求物質上的滿足，以得到某種安慰。

但是承認孩子的感覺，給他安慰，並不是溺愛。對於難過的孩子，大人可以和孩子有親密的肢體接觸，或花時間聆聽他們的傷心事，但孩子終將再度開始玩耍、轉換心情。在孩子充分抒發情緒之前，大人在提供紓解方式以幫助孩子度過難關的過程中，時機的掌握很重要。

這本書處理一般的悲傷。我們可以用這些方法幫助因為死亡或其他重大失去而悲痛的孩子，但記得要延長觀察時間。若孩子難過太久、經常哭泣、無精打采，或吃不好睡不好時，就需要尋求專業的協助。即使是稚齡的孩子，也會受苦於臨床上的憂鬱症，此時便需要專業介入。

要讓孩子知道，我們重視他們所有的感覺，不管是正面或負面的。還要讓他們明白，不論孩子或大人，都曾經歷這些感覺，我們要知道如何去處理。我們要給孩子處理這些問題的自信，好讓他們能夠說:「難過的時候，我知道我不會永遠難過下去！」

—— 康娜莉雅・史貝蔓

When I Feel Sad

by Cornelia Maude Spelman and illustrated by Kathy Parkinson

Text copyright © 2002 by Cornelia Maude Spelman
Illustrations copyright © 2002 by Kathy Parkinson

Published by arrangement with Albert Whitman & Company
through Bardon-Chinese Media Agency

Complex Chinese translation copyright © 2005
by CommonWealth Education Media and Publishing Co., Ltd.
ALL RIGHTS RESERVED

我的感覺系列 2

我好難過

作者｜康娜莉雅・史貝蔓　繪者｜凱西・帕金森　譯者｜黃維明

責任編輯｜劉握瑜　美術設計｜林家蓁　行銷企劃｜高嘉吟

天下雜誌群創辦人｜殷允芃　董事長兼執行長｜何琦瑜
媒體暨產品事業群
總經理｜游玉雪　副總經理｜林彥傑　總編輯｜林欣靜
行銷總監｜林育菁　副總監｜蔡忠琦　版權主任｜何晨瑋、黃微真

出版者｜親子天下股份有限公司
地址｜台北市 104 建國北路一段 96 號 4 樓
電話｜（02）2509-2800　傳真｜（02）2509-2462　網址｜www.parenting.com.tw
讀者服務專線｜（02）2662-0332　週一～週五：09:00~17:30
讀者服務傳真｜（02）2662-6048　客服信箱｜parenting@cw.com.tw
法律顧問｜台英國際商務法律事務所・羅明通律師
製版印刷｜中原造像股份有限公司
總經銷｜大和圖書有限公司　電話：（02）8990-2588

出版日期｜ 2005 年 9 月第一版第一次印行
2018 年 2 月第三版第一次印行
2024 年 6 月第三版第十二次印行
定價｜ 260 元　書號｜ BKKP0207P　ISBN ｜ 978-957-9095-13-6（精裝）

訂購服務
親子天下 Shopping ｜ shopping.parenting.com.tw
海外・大量訂購｜ parenting@cw.com.tw
書香花園｜台北市建國北路二段 6 巷 11 號　電話（02）2506-1635
劃撥帳號｜ 50331356 親子天下股份有限公司

立即購買 >